'Iontach!'
Bhain Múinteoir Molly agus na páistí an sú amach.
D'íoc siad an t-airgead agus isteach leo tríd an ngeata.

'Eilifint, tíogair, leoin, moncaithe, béir bhána,
piongainí agus lasairéin-
ba mhaith liomsa iad GO LÉIR a fheiceáil!'
arsa Jamaal.

Chuir Múinteoir Molly a hata gréine liobarnach ar a cloigeann.
Lean na páistí a múinteoir.
D'oscail sí buidéal líonomáide agus…
SIÚÚÚÚÚIIISSSSSSSSss!

'Ha Ha!' a scairt na hiéanaí agus iad ag gáire.
Bhí an lá baolach i ndiaidh tosnú.

LÉIM! PLAB! BUAIL! SLEAMHNAIGH!
'ag rince mar eilifint,
ag léim mar changarú,

…ag rith mar shéabra,
ag sleamhnú mar nathair nimhe!'

'Tá seo spraoiúil!' arsa Róisín.

Bhí na hainmhithe ag imirt *Léim agus Caith,*
Cé an Duine is Glóraí? agus Faigh Greim
ar an Eireaball.

Agus IONTAS NA nIONTAS…
ghlac Múinteoir Molly
páirt freisin!

Suas léi ar dhroim an chamaill…PREAB!
Shleamhnaigh sí síos stoc an eilifint…FÚÍÍÍ!

Labhair sí leis an eiligéadar…POC!
Rith sí thar an leon…NACH RITHFEÁ FÉIN?

Bhí an ghrian te.
Shuigh Múinteoir Molly faoi chrann ard duilleach.
Bhain sí di a hata gréine liobarnach
agus chuir sí lena taobh é.

'Lúbfaidh agus cromfaidh muid maraon leis na moncaithe –
rith, cas agus tit!' arsa Jamaal.

RUAILLE BUAILLE!

Bhí moncaí beag ag iarraidh bheith ag súgradh.
'Tá hata liobarnach *speisialta*,' ar seisean leis féin,
'rachaidh mé ag súgradh leis sin!'

Shleamhnaigh sé chomh fada leis an hata.
Agus tharraing sé anuas ar a cheann é.
Thosaigh na páistí ag gáire…

'Nach tú atá DÁNA, a mhoncaí bhig!' arsa Múinteoir Molly.
'Fan go mbéarfaidh mé ort!'
Rith an múinteoir agus na páistí le chéile.
A leithéid de rása!

Sciorr an moncaí agus thit sé i gceann a chois.
Ach… níor scaoil sé leis an hata!

FUIIIIIISSSSSSSS!
Rith an moncaí beag suas go barr an chrainn,
na géaga faoina lámha aige.
'Féach ormsa!' a bhéic sé
agus an hata liobarnach á chroitheadh aige.

Réitigh sé é; chaith sé é agus é
ag déanamh na bhfolachán.

Líon sé an hata le rud
éigin cruinn…

TRUP! TRAP! TROP!
Chaith an moncaí beag rud éigin crua
agus cruinn.
Phreab sé agus sciorr sé agus bhuail sé
in aghaidh crainn.
Is ar éigin gur bhuail sé Múinteoir Molly!

THUMPTY

THUMP

THUMP BUMP

'CNÓ CÓCÓ!'
arsa Múinteoir Molly.
'Tá an moncaí sin ag dul in
olcas sa nóiméad.'

'Caithfidh muid imeacht, a pháistí…
Gan mo hata.'
'A Mhúinteoir Molly!'
a d'fhreagair na páistí.

Chaith an moncaí beag an hata liobarnach síos agus
thosaigh sé ag súgradh…
le panda dathúil, le cocatú sásta, le coileach péacóige
brodúil agus le pearóid chairdiúil.

'Tá sé in am dul abhaile
Tiocfaidh muid ar ais arís, a mhoncaí bhig,'
arsa Múinteoir Molly,
'agus…caithfidh mé mo hata liobarnach!'

Foilsithe ag Cló Mhaigh Eo,
Clár Chlainne Mhuiris,
Co. Mhaigh Eo,
Éire.
www.leabhar.com
colman@leabhar.com
094-9371744

ISBN 1-899922-33-4

Dearadh: raydes@iol.ie
Clóbhuailte in Éirinn ag Clódóirí Lurgan Teo.

Buíochas le Eithne Ní Ghallchobhair

Faigheann Cló Mhaigh Eo cabhair ó Bhord na Leabhar Gaeilge.

MÚINTEOIR MOLLY
AGUS A RANG CEOIL

HEATHER HENNING

Tá an Príomhoide ar bís.
Tá an Cigire Scoile ag teacht le héisteacht le rang ceoil.
Agus caithfidh Múinteoir Molly an ceacht a ullmhú!

ISBN: 1-899922-34-2

COIS TRÁ LE
MÚINTEOIR MOLLY
HEATHER HENNING

Tá Mícheál cois trá lena Aintín Molly.
Tá sliogáin, gliomóga, portáin agus a lán, lán eile le feiceáil.
Ach cá bhfuil a gcairrín beag dearg imithe?

ISBN: 1-899922-32-6

MÚINTEOIR MOLLY
AGUS COINÍN NA SCOILE
HEATHER HENNING

I seomra na gcótaí atá deartháir beag Laoise.
Ach cén fáth go gceapann Múinteoir Molly go n-íosfaidh
sé leitís agus meacan dearg?
Ar ndóigh, tá a bealach féin ag múinteoir Molly!

ISBN: 1-899922-31-8